Piero Ciamberlano

La favola più bella

The most beautiful tale

Translated by Cecilia Orvieto

*Alla mia mamma Alessandra
e a tutte le mamme del mondo,
«Col cuore palpitante d'amore»*

*To my mother Alessandra
and to all the mothers of the world,
«With the heart that beats of love»*

La favola più bella della nostra vita

Si capiva dalla luce
dei suoi occhi,
dal radioso sempre dolce
del suo viso,
dal sorriso più amato
di un bimbo,
dai moti armoniosi
del suo corpo,
dalla mano che ti sfiora
e accarezza,
dalla voce tremolante
di emozioni,
dai riflessi di un'alba
luminosa,
da quel sole che dà luce
e riscalda,
da quel fiore che si schiude
e profuma,
da quel cielo infinito
sempre azzurro,
dalla terra inondata
e fertile
di quel bene che non tutti
san capire.
Mamma è così
che ci lascia
senza averci raccontato
mai una favola.

The most beautiful tale of our life

You could understand by the
light
in her eyes,
by the gentle radiance
of her face,
by the best-loved smile
of a child,
by the graceful movements
of her body,
by the hand that touches
and caresses,
by the voice trembling
with emotions,
by the reflections of a bright
dawn,
by the sun that illuminates
and warms,
by the flower that opens
and smells,
by the endless and always blue
sky,
by the land
flooded and fertile
of a love that not everyone
knows.
So mom leaves us,
without ever having told
a tale.

Mamma, ti prego,
riposa in pace
e non sentirti in debito
con noi.
Sei stata tu tu!
La favola più bella,
la più inimmaginabile
della nostra vita.
Si capiva dalla grazia
che avevi,
dalle rughe e dai capelli
imbiancati,
dalle labbra arricciate,
non più fresche,
si capiva dalle mani rimpicciolite,
senza forze,
si capiva dallo sguardo spento
pronto all'addio,
da quell'amore ultimo palpito
in cuor tuo.
Si capiva che doveva
finire qui
la favola più bella
della nostra vita.

Mom, please,
rest in peace
and don't feel you owe
us.
Was you you!
The most beautiful and
unimaginable tale of our life.
You could understand by the
elegance
that she had,
by the wrinkles and white
hair,
by her lips, no longer
fresh,
by her smaller and weak
hands,
by her lifeless eyes
ready to say goodbye,
by that love,
the last beat of her
heart.
You could understand that
the most beautiful tale of our
life here ends.

Il frutto del peccato

Il frutto del peccato
è il frutto proibito;
l'ha dato la natura
per tutti, anche per noi.
Ti bacio questa sera,
ti tolgo il respiro,
ti stringo forte a me.
Il frutto del peccato,
amore, resterà.
Tu piangi, ti vergogni...
il primo appuntamento...
Ma l'era della pietra
per noi non conta più.
Adamo offrì ad Eva
un fiore e tanto cuore:
due servi del Signore
che mondo sanno fare.
La bocca del serpente
ha un volto senza nome,
ma questo viso mio
ha luce e fedeltà.
La strada del deserto
è lunga e senza guida.
Chi tenta l'avventura
lo sa che soffrirà.
Io soffro questa vita.

Il frutto del peccato,

The fruit of sin

The fruit of sin
is the forbidden fruit;
nature has given it
to all, even to us.
I kiss you tonight,
I take your breath away,
I hold you close to me.
The fruit of sin,
my love, will remain.
You cry, you are ashamed...
The first date..
The stone age now
no longer counts for us.
Adam offered a flower
and so much love to Eva:
two servants of God
what world can they do.
The mouth of the snake
has a face without a name,
but my face shows to you
the light and loyalty.
The desert road
is long, without a guide.
Those who venture
know they will suffer.
I am suffering in this life.

The fruit of sin

il pomo del tuo corpo
è un fiore e sboccerà.
La mela non esiste,
la storia è un'invenzione,
che tanto si fa amare
e il mondo fa girare.

is the fruit of your body,
is a flower, it will blossom.
The apple does not exist,
and the story is an invention,
an invention so much loved
which moves all the world.

Un'età

Io no...
non ritroverò
un'età
per un'altra età,
che fa soffrire
e amare così tanto
come te,
che mi vuoi bene.
Io no...
non ritroverò
una vita
da donare a te,
un corpo e un'anima
con un solo amore,
tanto grande per noi
come l'universo.
Mani vellutate,
occhi pieni di luce,
labbra zuccherate,
dolci come il miele.

Non c'è
e non ci sarà
chi come noi
bene si vorrà.
Io no...
non perdonerò
uno sguardo
che mi mancherà.

An age

I cannot...
I cannot find
an age
for another age,
which hurts
and makes you love
as much as you do
with me.
I cannot...
I cannot find
a life
to give you,
a heart, a soul and only one love,
so immense for us,
like the universe.
Velvety hands,
bright eyes,
sugary lips,
sweet as honey.

There is not
and there will never be
anyone who will love
as we did.

I cannot...
I cannot forgive
a look
that I will miss.

Mi fa paura	I am afraid
parlare così;	to speak in this way;
tu sei nel cuore,	you are in the heart,
nei miei pensieri.	you are in my thoughts.
L'inarrivabile	The unreachable
nelle mie mani,	in my hands,
una luna piena	a full moon
nella notte buia,	in the dark night,
l'incarnazione	the incarnation
di un nascituro	of a soon to be born baby
e il bimbo nato	and the child comes into the
col suo vagito.	worldcrying.

Sei!

Tu sei tutto quello
che il vento ti offre
nel suo tiepido soffio,
l'immagine di una regina
che bacia il suo re.
Sei le limpide acque
del ruscello vicino,
le bianche pietre
e il sibillante fruscio
che producono in esse.
Tu sei tutto quello
che appena ti sfiora
ti rende felice,
il ritorno di un figlio
partito in guerra.
Sei la pace del cuore,
la quiete dell'anima,
l'ansia di un bene e
i gesti di un bimbo
appena vede la luce.
Tu sei tutto quello
che d'immenso si vede,
che d'immenso si vive,
il volo di un angelo
nell'azzurro infinito.
Sei la legna ardente e
la fiamma del fuoco,
che riscalda il mio corpo,
anche il gelido ghiaccio,

You are

You are
everything that wind could offer
in its warm breath,
the image of a queen
who kisses her king.
You are
the clear waters
of the nearby stream,
the white stones
and the whoosh in it.
You are
everything that makes you happy
as soon as you touch,
a son who comes home
from the war.
You are the peace of heart,
the peace of soul,
the worry of a love
and the gestures of a child
when he sees the light.
You are everything that
could be seen immensely,
everything that could be lived
immensely, the flight of an angel
into the infinite blue.
You are the burning wood
and the flame of the fire,
that warms my body;
you are the gelid ice

se mi manchi un istante.
Sei!... Sei!... Sei!...
Tutto

when I miss you, even for a while.
You are... You are... You are...
Everything.

Ogni notte

Ogni notte mi perdo
nel buio.
La mia casa è lontana
dal mondo,
da questo mondo che è fatto
di bene.
Lo ritrovo abbracciandomi
a te!
Sento la mia mano
che accarezza il tuo bel viso.
Caldo il calore
che mi dona il corpo amato.
Dolci le parole
che sussurri con amore.
Tu mi sai offrire
notti allegre, notti belle.
C'è la terra baciata
dal sole.
È col sole che sboccia
ogni fiore.
Mi domando che cosa è
la vita,
senza avere una donna
nel cuore.

Every night

Every night I get lost
in the dark.
My home is far
from the world,
a world which is made
of love
and which I find
in your hug.
I can feel my hand
caressing your beautiful face.
The warmth of your body,
your whispered sweet words.
You offer me
pleasant and beautiful nights.
There is the sunny land,
where flowers bloom.
I wonder how is life
without a woman
in the heart.

Profumo d'amore	Scent of love
Che profumo d'amore!	Scent of love,
Io mi lascio incantare.	I let myself be enchanted.
Che gioia infinita	An infinite joy
si sente nel cuore!	is felt in the heart.
Papaveri in fiore,	Poppies in bloom,
un fiore di campo,	a wildflower,
ricordo di un giorno	the memory of a day
trascorso con te.	that I spent with you.
Che profumo d'amore!	Scent of love,
Io mi lascio andare.	I let myself go.
Ti stringo al mio corpo;	I hold you close to me;
mi doni il piacere.	you give me pleasure.
Panchina deserta,	An empty bench,
un posto nascosto.	a hidden place.
Tra i rami fioriti	Among flowering branches,
c'è amore per noi.	there is love for us.
Che profumo d'amore!	Scent of love,
Io ti stringo, ti bacio	I embrace you, I kiss you
sull'erba di un prato,	on the grass of a lawn,
ti sento più mia.	you are mine.
Collina che vidi	The hill that I saw
col nascer del sole;	at first light;
portava il mio bene	it carried my love
a viver per te!	for you.

Padre Pio

Fu pastore,
fu padre Pio
fu la terra e
fu il cielo;
fu lo spirito
di Dio,
incarnato
per amore.
Un pastore
fra i pastori,
poverello
fra i poverelli,
con le stimate
sanguinanti
benediceva
in sofferenza.
Fu l'inferno,
fu il paradiso,
fu la gioia
dei fedeli,
quando in fila
tutti insieme
si prostravano
ai suoi piedi.
Una fede
popolare
s'inchinava
al ruvido saio.

Padre Pio

He was pastor,
he was Pious,
he was heaven
and hearth.
He was the Spirit
of God,
incarnate
for love.
A pastor
among pastors,
a poor man
among the Poor,
with his bleeding
stigmata
he blessed
and suffered.
He was heaven,
he was hell,
he was the joy
of the faithful,
who bowed
down
to his
feet.
A popular faith
prostrated
to the rough
Habit.

In ginocchio,
a mani unite,
lo lodavano
in preghiera.
Tante voci
di cantori
lo innalzavano
nei cieli.
Padre Pio
bene divino,
fu conteso
e dibattuto
dai gerarchi
della Chiesa,
ma la spada
che feriva
nel suo cuore
si dissolveva
e il popolo
con devozione
concordava
a suo favore,
mentre in valle
una stella
illuminava
il suo cammino.
C'è la mano
della Provvidenza:
offre pane
al monastero;
lui con costanza
e temperanza
ci alimentava

On bended knee,
with clasped hands,
they prayed
for him.
Many voices
of cantors
raised the praise
to the sky.
Padre Pio,
divine good,
was contended
and discussed
by leaders
of the Church,
but the sword
that wounded
it dissolved
in his hearth
and the people,
with devotion,
in his favor
was agree,
meantime
in the valley
a star lighted
his way.
There is the hand
of Providence
which offers bread
to the monastery,
and with
perseverance
and temperance

i digiunanti.
Qui la storia
non si ferma.
Una folla
straripante
ogni giorno
da lontano
rende omaggio
al suo sacrato.
La sua immagine
immortale
dona pace
e fratellanza,
allieta i mali ai sofferenti
e ai più devoti
dona guarigione.

it fed the hungry.
The story does
not end here.
A large
crowd,
every day
from a distance,
honors
his parvis.
His immortal
image
gives peace
and brotherhood,
it saves people from their pain
and gives healing to the most
devoted faithful.

Dolce bambina	Sweet girl
Dolce bambina,	Sweet girl,
ritorno ancora	I still go back
dove piansi un dì	where you cried
per amore tuo.	for your love.
Con te fuggirò,	I will run away
dove non lo so;	with you.
lontano lontano,	Where?
chi lo sa dove,	I don't know.
chi lo sa:	Who knows where, who knows.
soli nel mondo	Alone in the world.
Dolce bambina,	Sweet girl,
sono accanto a te.	I'm close to you.
Dormi sul mio cuore	Please, sleep on my heart
una volta ancora.	once again.
Amore, come godere	My Love, in this life
solo con te	I'm glad
nella vita terrena,	only with you,
solo i sussulti del tuo corpo!	when your body jumps.
Dolce bambina,	Sweet girl,
caro mio tesoro,	my Love,
oggi ci sei tu	you are in
solo nel mio cuore.	my heart.
Non c'è fiore che	No flower could
mi può dare di più.	me give more.
Solo tu! Solo tu!	Only you! Only you!
Sboccia nel mio cuore,	Only you bloom in my heart
quando dico amore.	when I say love.
Corre quel treno	That train runs
verso la città;	to the city,

con te lo prenderò,
veglierò le tue emozioni,
i tuoi attimi di gioia,
i tuoi sguardi di bambina,
la tua vita,
il nostro amore.

I will catch it with you;
I'll watch over your emotions,
your moments of joy,
your gaze like a girl,
your life,
our love.

Un'ultima emozione

Ti chiedo
se tutto è passato e
nulla ci sostiene più,
un'ultima emozione
di quel poco di niente
che sapevi offrirmi
in quei giorni felici:
il sapore di te!
Ti prego,
non lasciarmi morire!
Il tormento e l'insonnia
avviliscono il cuore;
il soffio del vento e
le foglie appassite
appartengono al gelo
dell'inverno passato.
Ti chiedo,
come un bimbo di notte
spaventato dal buio,
la voce di mamma,
quella voce di cuore
che gentile e soave
placa un pianto in seno
alla tenera vita.
Ti prego,
un'ultima emozione
poi diciamoci addio,
se nel nostro destino

One last emotion

I ask you,
if everything has passed
and nothing supports us
more,
for one last emotion,
the simple emotion
that only you could give
me,
during those happy days:
the taste of you!
Please,
don't let me die!
Agony and insomnia
depress the heart;
the gust of wind
and withered leaves
belong to frost
of the last winter.
I ask you,
as a child in the night
who is scared of the dark,
for the voice of mom,
that gentle and sweet voice
which appeases the crying
in early life.
Please,
give me one last emotion
and then we can say
goodbye,

c'era scritto così!
Non si può cancellare
quella mano divina,
appartiene a Dio! A Dio!

if this is our fate.
We cannot overlook
the divine hand,
the hand of God.

Una piccola ragazza

È una piccola ragazza
ma vale un mondo d'oro,
un mondo d'oro
per il suo amore.
È una piccola cornice.
Chi compra sa cos'è,
lo sa chi è:
begli occhi blu.
Ma io non spendo nulla,
perché compro col mio cuore;
ma io non spendo nulla,
perché l'amo e l'ho con me.
Ma io non faccio nulla
per portarla via da te;
ma io non faccio nulla,
lei mi ama e vuole me.
Questo è un mondo
di curiosi.
Questo è un mondo
di balocchi.
Bella è questa vita, bello è
tutto quello che ci dà.
Tendiamoci le mani,
facciamo un bel cin-cin!
Se mi manchi tu, mia cara,
il giorno che sarà?
Che mai sarà?
Si fermerà!

A little girl

She is a little girl,
but she's more precious
than gold
for her love.
She is a small frame.
People who buy
know what is,
know who is: beautiful blue eyes.
But I don't spend nothing,
because I buy with my heart;
but I don't spend
nothing, because I love her and
she is in my hearth.
I don't do anything to take
her away from you; I don't do
anything, she loves and wants
me.
This is a world
of meddlers.
This is a world
of playthings.
This life is beautiful,
and its gifts too.
Let's tend our hands
and let's make a toast!
If I miss you, my darling,
what will happen to the day?
It will stop!

La vela va sul mare,	The sailboat is on the sea,
dove il vento soffierà.	where the wind blows.
L'amore guida un cuore,	Love guides the heart
dove gioie troverà.	where it can find joy.
La notte è stata dolce,	The night is sweet
se mi sveglio accanto a te.	if I wake up next to you.
La vita non è niente,	Life is nothing
se l'amore tu non hai.	if you do not love.
Bella è questa vita e	This life is beautiful,
tutto quello che ci dà.	and its gifts too.
Tendiamoci le mani,	Let's tend our hands
Facciamo un bel cin-cin!	and let's make a toast!
Cin-cin! Cin-cin!	Cheers! Cheers!

Tuorno a Napule stasera

I go back to Napule tonight

Tuorno a Napule
stasera,
a Pusilleco,
a Marechiare,
addo' nu poche
'e mare
tutto 'o munno
fa pare'.
Vurria chella
prumessa,
che chella
m'ha levata;
la voglio perdunà
ma a me

adda turnà.
A voglio addenucchiata;
la voglio sbrevugna';
tante lacreme
d'amore
pe me
adda versa'.
Tuorno a Napule
stasera,
voglie chiagnere
'mbraccia a te,
addo' nu poche
'e sole

I go back to Napule
tonight,
to Pusilleco,
to Marechiare,
where a bit
of sea
seems the
whole world.
I would like that
promise,
the same that she broke;
I want to forgive her,
but she must come back
to me

I want her kneeling;
I want to
shame her;
she must
shed tears
of love
for me.
I go back to Napule
tonight,
I want to cry
in your arms,
where a bit of
sun illuminates

tutto 'o munno	the whole
fa vede'.	world.
Vurria senti'	I would to hear
'a voce,	her voice,
s'è ancora	if she is still in love;
'nnammurata;	I want to forgive her,
la voglie perduna',	but she must pray
ma Dio	to God.
adda pria'.	I want her
La voglie accanto a me.	by my side.
Chi vede adda capi':	People who
doie aneme	see us
sincere	must understand:
nun se	two sincere souls
ponno chiù lassà.	cannot leave more.

Treno

C'è sempre una stazione,
il solito ritardo.
I visi sconsolati
non ce la fanno più.
«Mi scusi, capotreno,
ma che servizio è?»
Le solite scusanti,
ma che ragione c'è?
Treno,
supplizio della vita,
croce di ogni giorno.
Quando finirà?
Treno,
delizie e dolori,
tu sei nel mio cuore,
mai ti lascerò!
C'è sempre un'emozione.
I soliti vagoni;
li sale una signora
che guarda gli occhi miei.
Lei mi addolcisce il cuore.
Sono pazzo già di lei,
vorrei fermarla e dirle
che l'amo da morire.
Treno,
viaggi della vita,
complice di un sogno
grande come il cielo!

Train

There is always a station,
the usual delay.
The disconsolate faces
are now tired.
«Excuse me station master,
this is a disservice!»
The usual excuses,
what reason is there?
Train,
torture of life,
daily burden.
When will it end?
Train,
pleasures and pains,
you are in my heart,
I will never leave you!
There is always an emotion.
The usual wagons;
a lady gets on the train
and she looks at my eyes.
She shoots my heart.
I'm already crazy about
her,
I would to stop her and
say that I love her so much.
Train,
journeys of life,
help of a dream
big as the sky!

Treno, viaggi e poesia... per donarsi un fiore e gioire d'amore! C'è sempre lei nel mio cuore, il solito sorriso. È bello il mio viaggio, è nato un grande amore. Se non ci fosse il mare, se non ci fosse il sole, è lei acqua e mare, è lei luce e sole.	Train, travels and poetry... to give a flower and rejoice in love! She is always in my heart, the usual smile. My journey is beautiful, a great love was born. If there was no sea, if there was no sun, she's the water, she's the sea, she's the light and the sun.

Suona l'Ave Maria	Ave Maria

Suona l'Ave Maria,
un aratro ara i campi,
dolce pane per noi,
tanti chicchi di grano.
Torna a casa un uomo,
è un po' stanco di sé.
Guarda il sole al tramonto,
scende la sera:
è la notte per noi.
Notte, cara notte,
quando mi sveglio
tu sei dolce con me.
Nasce l'alba, è mattino.
Un sorriso mi sfiora.
Come è grande il tuo amore!
Suona suona
l'Ave Maria,
la campagnola
torna al paese.
Stringe un cestello
di rami di rose,
stringe un cestello
di fiori di prato.
Bello quel fiore e
dolce il tuo amore.
La campagnola
mi stringe al suo cuore.
Giuro, cuore mio amato,
questo sangue di uomo

The Ave Maria sounds,
when the plow is in the
field, sweet bread for us,
so many grains.
A man comes home,
he's tired of himself.
He looks at the sunset,
the night falls:
is the night for us.
Night, dear night,
when I wake up
you are sweet to me.
Comes the dawn,
it's morning.
A smile touches me lightly.
How great is your love!
The Ave Maria sounds,
and the countrywoman
returns to the village.
She holds a small basket
of branches
of roses,
of wildflowers.
That flower is beautiful
and sweet is your love.
The countrywoman
keeps me close to her heart.
I swear,
my beloved heart,

non potrà mai tradire.
Splendi, casa mia bella,
non c'è stella più grande:
tutto il cielo sei tu!

the blood of this man, will never betray.
You shine, my beautiful home,
there is no bigger star:
you are the sky.

Silenzio...
Silenzio...

Quiet...
Quiet...

Siamo destinati
a vederci poco e
amarci tanto,
a camminare fianco a fianco
senza mai guardarci,
ma solo pensarci.
Siamo amanti,
non siamo più amici;
senza volto,
senza parole,
con un pensiero che dice:
«Silenzio... silenzio...»
Se parli, puoi perdere tutto.
Non ostinarti
con la tua pazienza.
Siamo destinati
a credere in Dio e
amarlo senza toccarlo,
giurando fedeltà a lui
e mai tradirlo:
solo adorarlo.
Siamo cristiani,
creati da lui,
spalmati di bene,
nutriti d'amore
con una voce che dice:
«Silenzio... Silenzio...»
Se parli, puoi perdere tutto,

Our destiny is
to meet little
and love so much,
to walk side by
side, without ever looking
at each other, but only thinking.
We are lovers,
no longer friends;
without face,
without words,
with a thought thatsays:
«Quiet... Quiet...»
If you speak, you can lose
everything.
Don't insist with your patience!
Our destiny is to believe in God,
loving and not touching him,
pledging allegiance and
never betray him:
our destiny is
just adore him.
We are Christians,
created by him,
nourished
with love,
with a voice that says:
«Quiet... Quiet...»
If you speak, you can lose everything,

anche la gioia di averlo amato.
Siamo destinati
a crescere ancora e
capire di più,
a superare fuochi e geli
dell'immensa folla,
che, cinta dal male,
opprime i cuori
non più lontani
con un oggi
e un domani
con un pensiero che dice:
«Silenzio... Silenzio...»
Non farlo udire al vento.
Il vento è una spia e non ha
cuore.
Silenzio... Silenzio...

even the joy of loving him.
Our destiny is
to grow further
and to understand more,
overcoming the fireand ice
of the immense crowd
that, surrounded by evil,
oppresses the hearts
no more distant
today and tomorrow
with a thought that
says:
«Quiet... Quiet...»
Don't hear the wind!
The wind is a spy,
it has no heart.
Quiet... Quiet...

Rido e piango
per amore

Non è tristezza quel che leggi
sul mio viso.
Rido e piango per la gioia
che mi dai tu.
È tanto grande, è tanto bello
averti qui
vicino a me; c'è tanto sole,
tanto amore.
Mi basta un bacio,
mi basta una carezza,
vedere l'alba in cielo,
mirare il sole.
Il sole mio sei tu.
Mi basta il vento,
mi basta il tuo profumo,
sentirti nel mio cuore,
amare tanto,
amare solo te!
Abbraccio il mondo
con le mie mani;
nelle mie braccia
vive l'amore.
Allora rido,
allora piango,
rido di gioia,
piango d'amore.

Mi basta un fiore,

I laugh and cry
for love

It is not sadness
what you see on my face.
I laugh and cry for
your love.
It's so big, it's so nice
to have you here
by my side; there is much sun,
there is much love.
I just want a kiss,
I just want a caress,
I just wanna see
the sunrise in the sky,
I just wanna see the sun.
You are my sun.
I just want the wind,
I just want your smell,
I just wanna feel youin my heart,
I just wanna love you.
Only you.
I embrace the world
with my hands;
love lives in my
arms.
So I laugh, so I cry,
I laugh for joy,
I cry for love.

I just want a flower,

mi basta il tuo sorriso	I just want your smile,
per vivere e sognare,	to live and dream,
credere in Dio.	to believe in God.
Il Dio mio sei tu!	You are my God!

Ma come è possibile?

Se la roccia fiorisce,
raccogli il seme
delle mie poesie
disseminate dal vento.
Le gocce di brina e
il tiepido giorno
invogliano il sasso
che si scioglie all'amore.
Se il mare bruciasse
le acque azzurre,
con un flebile soffio
spegnerei le fiamme.
Se il mondo cadesse
nell'avverso destino,
rialzerei il suo corpo
nel giusto cammino.
Ma come è possibile?
Se non ci fossi tu nella mia vita,
sarebbe una notte buia
senza stelle,
sarebbe un cielo aperto grigio
e freddo,
un vasto spazio che
non ti appartiene,
un'anima che vaga triste e sola.
Ma come è possibile?
Sentirsi così tanto innamorato
che io possa avere tutto questo?

How is it possible?

If the rock blooms,
collect the seed
of my poems,
scattered by the wind.
The drops of dew
and the warm day
encourage the stone
which melts of love.
If the sea burnt the blue
waters,
I would extinguish the
flames with a faint breath.
If the world fell into the hands
of the adverse fate,
I would lift its body
into the right path.
How is it possible?
If you weren't in my life,
the night would be dark,
with no stars,
the sky would be grey
and cold,
a vast space that is not
part of you,a sad and lonely
wandering soul.
How is it possible?
Feeling so much in love
Can I have all this?

L'immenso appartiene
solo a Dio
e tu mi sai offrire anche di più,
quell'infinito bene
che si chiama Amore.
Se la luce splendente
finisse nel buio,
prenderei dai tuoi occhi
un raggio di sole.
Il letto è caldo;
c'è il tuo calore.
L'intimo è un velo
che mi toglie il respiro.
Se la mano ti sfiora
ai soli pensieri,
mi ritraggo la voglia
e mi metto a sognare.
Sono dolci momenti
smielati da un fiore:
il fiore si schiude e
ti dona la vita.

The immensity belongs
only to God,
but you offer me more,
what we usually call "love".
If the shining light
fell in the dark,
I would take from your eyes
a ray of light.
The bed is warm,
there's your warmth.
Your underwear is a voile that
takes my breath away.
If the hand touches you
in your thoughts,
I retract the desire
and I start dreaming.
These are
sweet moments,
extracting the honey
from a flower: the flower opens
and gives you life.

Rita

Ti piace andare in fretta,
ti piace il moto scooter;
vai sempre con i tacchi,
fantastica sei tu.
Vorrei fermar la gente
per chiederle chi sei.
Tu sei l'arcobaleno,
la primavera in fiore,
Rita!
Devi cambiar pianeta:
forse sulla luna?
Forse sulla luna?
Rita!
Qualcosa scoprirai
per trovar l'amore.
Andando per la strada
non tieni la tua mano,
non dai la precedenza,
sei mini e prepotente.
Ci vuole assai pazienza
per chi ti vuole bene.
Tu guardi al sol che manca,
alla luce e al suo splendore.
Rita!
Devi cambiar pianeta,
devi andar su Marte?
Rita!
Che sogni tu farai
per trovar l'amore!

Rita

You like to walk fast,
you like the motor-scooter;
you always wear heels,
you are fantastic.
I would stop people
to ask who you are.
You are the rainbow,
the spring in bloom,
Rita!
You have to change planet:
maybe on the moon?
Maybe on the moon?
Rita!
You will discover something
to find your true love.
Driving on the road,
you drive on the wrong side,
you never give priority,
you are so arrogant!
People who love you
must be patient!
You look at an imaginary sun,
its light and its splendor.
Rita!
You have to change planet,
do you have to go to Mars?
Rita!
What beautiful dreams you will make
to find love!

Il giorno passa in fretta
per l'uomo che ti aspetta.
Nel cuore suo c'è gioia,
ma piange per amore.
Negli occhi ha il dolore
di chi lo fa soffrire.
Lui vive per capire
un mondo senza fine.
Rita!
Devi cambiar pianeta.
Devi andar su Marte?
Devi andar su Giove?
Rita!
Qualcosa pur farai
per trovar l'amore,
per trovar l'amore.

Time goes quickly
for the man who waits for you.
There is joy in his heart,
but he cries for love.
There is sorrow in his eyes,
caused by people who hurt him.
He lives to see a world without
end.
Rita!
You have to change planet.
Do you have to go to Mars?
Do you have to go to Jupiter?
Rita!
I know you'll
do something
to find love, to find love.

Stelle del cielo

Belle straniere,
amor de Roma.
Stelle del cielo
che cadono qua.
Ci sono bionde,
ci sono brune;
non ce n'è una
che non sa amare.
Sono Inglesine,
Americane,
Olandesine,
Giapponesine.
Ma tutto er monno
le vie' a trova',
per visitare
l'eterna nostra città.
Se le seguite,
vi accorgerete:
insieme a loro
tutto è bello.
Tutto è più grande
per l'interesse,
che sanno dare
alle dolcezze
di questa signora
eterna nostra città.
I monumenti,
le belle fontane
se ponno trova'
soltanto qua.

Stars of the sky

Nice foreign girls,
love of Rome.
Stars of the sky,
that here fall.
They are blond,
they are brunette.
They all know
how to love.
They are English,
they are American,
they are Dutch women,
they are Japanese.
All the world comes
to see them,
to visit our
eternal city.
If you follow them
you could realize:
everything is beautiful
if you are with them.
Everything is bigger
thanks to
the interest
which they give
to this lady,
our eternal city.
Monuments,
beautiful
fountains,
there are only here.

Il Colosseo,
il Cupolone,
Piazza San Pietro, il Colonnato,
Trinità dei Monti,
la Gradinata,
una magia
di geniale arte,
che il monno intero
ce vo' ruba'.
Belle straniere,
amor de Roma.
Stelle del cielo,
che cadono qua
con gli occhi verdi,
con gli occhi azzurri.
La grande arte
vonno ammira'.
Quanta bellezza
gli sa offri'
questa signora
imbrillantata,
sempre apparente,
eterna nostra città.
Se poi ce nasce
un po' d'amore
nessuno pensa
che se ne torna.
Se sente amata
e qua vuole resta'.

The Coliseum,
the big Dome,
Saint Peter's Square,
the Colonnade,
Trinità dei monti,
the Steps,
a charm of
brilliant art,
that everybody
want to steal us!
Nice foreign girls,
love of Rome.
Stars of the sky,
that here fall,
with green and blue
eyes.
They want to see
the great art.
How much
beauty
this brilliant lady
has to offer.
And if a love
was born here,
nobody wants to go
away.
She feels loved
and so she remains.

Notti d'insonnia

Ora tu...
sei diventata d'improvviso una
stella,
una luce inarrivabile.
Io qui,
sulla terra sconfinata
mi aggiro sperduto.
Ora tu
sei il tormento delle mie notti
d'insonnia.
Una nuvola in cielo.
Io qui,
sulla riva cammino con il mare
in tempesta,
mi sento in deriva.
Ora tu
ti consoli con amori
voluti per niente,
confusa e infelice.
Io qui
contengo il dolore
di un cuore offeso,
che chiede di te!
Ora tu,
così lontana dai miei pensieri,
non puoi udire.
Confondi le voci.
Io qui
raccolgo la mia eco diffusa per

Sleepless nights

You...
Suddenly you become
a star,
an unreachable light.
And I...
I wander lost
in this boundless land.
Now you are the torment of
my sleepless nights.
A cloud in the sky.
And I,
I walk on the shore of
a stormy sea,
I feel adrift.
And you,
you console yourself
with loves that you
really don't want,
sad and confused.
And here,
I contain the pain of a
wounded heart,
that wants you!
Now you,
so far from my thoughts,
you cannot hear.
You confuse voices.
And I, I collect here my echo,
widespread in vain

niente
nelle valli deserte.
Ora tu,
che di lembi ornavi le cime più
alte,
calpesti la roccia.
Io qui,
come pioppi dispersi in orride
terre,
invoco la pioggia.
Ora tu,
illuminata da sterpi in ardenti
fiamme,
raccogli il mio grido.
Io qui,
avvolto nel buio convivo
l'inesistenza
e contemplo le mie notti
d'insonnia.

in deserted valleys.
And you,
who decorated the highest
peaks,
now step on the rock.
And I,
as poplars dispersed in
horrid lands,
here
I invoke rain.
Now you,
illuminated by dry twigs
on fire,
you collect my cry.
And I,
wrapped in the dark,
I live with the existence
and I contemplate my
sleepless nights.

Amore	Love

Amore è il sorriso dell'anima,
è il palpito del cuore.
Quell'alzarsi di una foglia
per magia al vento,
quel risveglio notturno
fa un dolce tormento,
quella pace che vivi
nell'intimità.
Quel profumo di donna
è un fiore per te.
Amore è un cercarsi
nel sole,
è illuminarsi
nel suo splendore,
quel guardarsi negli occhi
solo un istante,
quel riempirsi di bene
in quel dolce momento.
È quella frase che pensi
e poi disperdi,
quel volersi cercare
e poi fuggire.
Amore è una nuvola in cielo,
una pioggia di bene
infinito per te!
È un'alba che nasce
protesa dai monti.
È una vita che nutre
il grembo materno,

Love is the smile of the soul,
the beating of the heart.
Love is a leaf,
which magically rises
to the wind.
Love is waking up at night,
pleasant torment,
the peace that live in the intimacy.
The scent of a woman
is a flower for you.
Love is look for
in the sun,
and light up in all its
splendor;
Love is look in your eyes
only for a moment,
and love one another
in that sweet moment.
Love is the phrase that you
think and then disperse,
wanting to look
and then escape.
Love is a cloud in the sky,
a rain of love
for you!
Love is a dawn
that stretches
from the mountains.
Love is a life nourished by

il risveglio di un bimbo
che poppa nel seno,
il sentirsi amato
per quell'amore che dai.

the maternal womb,
the awakening of a child
who suckle from the breast,
to feel loved for your Love.

L'amore e la vita

C'era un albero al sole
che fioriva d'inverno.
Era amico all'amore:
lo incontrava col freddo.
C'era un bimbo di notte
che piangeva nel buio.
Nella culla animata
c'era un piccolo fiore.
La mamma, che dolcezza!
Come si sveglia,
al suo caro amore
tanti baci dà.
L'amore e la vita
non li lasciano mai.
Solo per un po'
ci fanno soffrire.
L'amore! L'amore!
C'era un angelo in cielo
che pregava per tutti.
Era amico al Signore
e viveva di fede.
Questo è il mondo che gira,
non si può mai fermare.
Con l'amore e la vita
sempre un'alba verrà!

Love and life

There was a tree in the sun,
which flourished in the winter.
It was a friend of Love:
they met with the cold.
There was a child in the night
who cried in the dark.
In the animated cradle
there was a little flower.
Mom, how sweet she is!
When her baby,
her Love,
wakes up,
she fills him with kisses.
Love and life never leave them.
They make us suffer
only for a while.
Love! Love!
There was an angel in the heaven
who prayed for us.
He was a friend of God
and he lived in faith!
This is the world that spins,
and we can never stop it.
With love and life
always will be a dawn!

Alina

Il cristallino
degli occhi
come fari accesi
su di me.
Sguardi dispersi
in solitudine
abbandoni e
ombra di lei
nel limpido
chiarore del giorno:
una luce nella luce.

Alina,
lo specchio dell'anima,
riflessi di un'alba
divenuta luminosa.
Immense praterie
con boccioli in fioritura
sommergono di profumo
suadente d'amore
quell'area ospedaliera,
luogo di sofferenza.

C'è l'infinito
nel creato,
come dire fine
senza Dio.
Tu sei nata fiore
in una siepe.

Alina

The crystalline
eyes
as headlights
on me.
You abandon
the dispersed looks
in the solitude
and your shadow
in the clear light
of day:
a light into the light.

Alina,
mirror of the soul,
reflections of a bright
dawn.
Vast prairies
with buds in bloom
flood
of perfume
that hospital area,
place of suffering.

There is the infinite
in the creation,
like saying end
without God.
You were born flower
in a hedge.

Ora le mie spine
sono steli
custoditi
nel giardino tuo.
Fioriranno
insieme a te!

Alina,
l'amore
o l'inganno?
Sorgente di
acqua pulita,
curativa e dissetante.
Volano le rondini,
amiche di un'estate;
intonano nel cielo
allegre sinfonie,
in quel grido solenne
nel cuore mio l'amore.

Now my thorns
are stems
kept in
you garden.
They will flourish
with you!

Alina,
love
or deception?
Source of
clean water,
healing and refreshing.
Swallows fly,
friends of summer;
they sing in the sky
cheerful symphonies,
in that solemn cry
love is in my heart.

Caldo Natale, freddo Natale

Dopo l'estate
calda di sole,
che ha donato
ai cuori l'amore.
Dopo la pioggia
tanto sottile
che ha bagnato
i pascoli verdi.
Dopo il raccolto
della vendemmia,
che ha riempito
i tinelli di vino.
Dopo il ritorno
del gregge,
che ha lasciato
i monti e le nevi.
Caldo Natale,
per te che fai l'amore
un focolare
con tanta legna e calore;
caldo Natale,
per te bambino più buono
il più adorato sei tu
e tutto il mondo ama te.
Dopo la notte,
la notte più lunga
che ha donato

Warm Christmas, cold Christmas

After the summer,
warmed by the sun,
and which has given love
to the hearts.
After the rain,
so thin and light
which has wet
the green pastures.
After the grape harvest,
which has filled the barrels
of wine.
After the return of the flock,
which has left the mountains
and the snow.
Warm Christmas
for you, that make love,
a hearth with so much wood
and warmth;
warm Christmas
for you, good child,
you are the most adored
and the whole world loves you.
After the night,
the longest night
which was given
by the king
of the children.

il re dei bambini.
Dopo quell'alba
tanto radiosa,
che ha sorriso
a grandi e piccini.
Dopo l'abbraccio
tanto sofferto
siamo riuniti,
siamo più buoni.
Dopo quei giorni
tanto festosi
c'è chi riparte
e lascia una donna.
Freddo Natale,
per te che sei per la strada
senza l'amore,
sotto la neve che cade.
Freddo Natale,
per te, fratello lontano,
il più pensato sei tu
e la tua mamma è con te.

After that dawn,
so shining,
which has smiled
to adults and children.
After the embrace,
so agonizing,
we are gathered,
we are all better.
After those days
joyous and happy,
there is someone who leaves,
leaving a woman.
Cold Christmas
for you, who are
on the street
without love,
under the falling snow.
Cold Christmas
for you, far away brother,
you are the most thought
and your mom is with you.

Abbronzati al sole

Abbronzati al sole,
al calore dell'estate,
abbronzati al sole,
al calore dell'amore.
Bambina, vieni al mare.
È tempo di lasciare
l'ufficio, il tuo lavoro,
la tua bella città.
Farai la sirena
in questo grande mare,
sarai l'arcobaleno
ai cuori senza amore.
La spiaggia ha un solo nome,
il nome di un bel fiore.
Se tu col vento vai,
io perdo il tuo amore.
Portavi i sandali d'argento,
portavi il mondo nei tuoi occhi
un anno fa guardando il mare.
Avevi un viso tanto bello,
portavi il bene nel mio cuore.
Come si fa a non pensare!
Abbracciami, amore.
Su, prendi la mia mano.
Abbracciami, tesoro.
Su, stringiti al mio cuore.

Un uomo sogna e pensa
il bene di una donna.

Tun in the sun

Tun in the sun,
in the heat of summer,
tun in the sun,
in the warmth of love.
Girl, come to the sea!
It's time to leave your
office, your job,
you beautiful city.
You'll be a mermaid,
in this big sea,
you'll be the rainbow
for the hearts without love.
The beach has only a name,
the name of a nice flower.
If you go with the wind,
I lose your love.
You wore silvery sandals,
the world in you eyes
a year ago, looking at the sea.
You had a so beautiful face,
you gave love to my heart.
How not to think about!
Huge me, my love.
Take my hand.
Huge me, my darling.
Cling to my heart.

A man dreams and thinks
the sake of a woman.

Un uomo sogna e pensa
un fiore accanto a sé.
Tu vieni in barca
e fai l'amore.
Mi doni il corpo
tanto amato
fra cielo e mare.
Amore, amore infinito,
sei grande, grande
più del mare.
Azzurra, azzurra più del cielo.

A man dreams and thinks
a flower next to him.
You climb on boat
and make love.
You give me your body,
so loved,
between the sea and the sky.
Love, endless love,
you are immense,
most of the sea.
You are blue, most of the sky.

Il pellerossa	The redskin
Non mangio le radici,	I do not eat the roots,
sono selvaggio, sì!	but I am a savage!
Senza frecce	I defend myself
mi difendo,	without arrows,
non vivo in agguato.	I do not live in ambush.
Sono moderno,	I'm a modern man,
ma il pellerossa in amore	I want to be a redskin
voglio fare.	in love.
Ti stringo come una serpe,	I hold you like a snake,
amo il tuo veleno;	I love your poison;
ho rimorsi	I've regrets when you go
quando te ne vai;	away;
ti seguo, ti proteggo	I follow you, I protect you
come una tribù.	like a tribe.
Il pellerossa in amore	I want to be a redskin
voglio fare.	in love.
Io soffro senza averti,	I suffer without you,
faccio il duro,	I bully,
ma la tua rabbia	but I enjoy seeing you
mi diverte un po'.	angry.
Allora questa volta	So this time I change plumes
cambio penne e tu	and you are nice,
sei dolce, piccolo amore,	my sweet love,
non ti stacchi più.	you leave me no more.
Al mondo c'è chi ride	There is someone
dietro un uomo,	in the world
se qualcosa come il vento	who laugh behind a man,
fugge dal suo cuore.	if something like the wind
	flees from his heart.

Dite se, pur viva,
la mia verità
non è bella,
ma bene mi farà.
Il pellerossa in amore
voglio fare.

Tell me,
if the truth is
not beautiful,
but it will be good for me.
I want to be a redskin
in love.

Il permesso
del soldato

Come quando parti,
ora sono ritornato;
come quando parti,
ora piango con te.
Io partii, tu lo sai,
per quindici mesi.
Io partii, tu lo sai,
a fare il soldato.
Questo permesso
lo dedico a te,
perché l'amore sei tu!
Vivrò in borghese
al più presto con te:
tu sei la vita per me!
Come quando partii,
ora sono tornato,
come quando partii,
ora sono con te!
Io lascio la naia
per darti il mio cuore,
io lascio la naia
e resto con te!
Tutti i miei giorni
lontano da te:
sono ricordi di un dì.
Vedo i miei sogni avverarsi
con te;
tu sei l'amore per me.

The furlough
of the soldier

As when I left,
now I came back;
as when I left,
now I cry with you.
I left for fifteen months,
you know.
I left as a soldier,
you know.
I dedicate this furlough
to you, that are my love!
I will live with you soon,
in plain clothes:
you are my life!
As when I left, now
I came back,
As when I left,
now I am with you.
I leave the draft
to give you my heart,
I leave the draft
and I stay
with you!
All my days,
away from you:
are now memories.
I see my dreams come true
with you;
you are love for me.

Questo mondo per me
vale un raggio di sole;
questo mondo per me
ora è grande con te;
con te il cielo risplende.
Il mio azzurro sei tu.
Con te il cielo risplende
più in alto per me.

This world,
a ray of sunshine
for me; this world for me
now is immense with you;
the sky shines with you.
My blue is you.
The sky shines with you,
above me.

La gente è buona

Non fare male
e sorridi all'amore;
guarda il mare,
i prati in fiore.
Dai qualcosa
e dalla di cuore;
il tuo domani
felice sarà.
La gente è buona,
lo fa;
la gente è buona,
lo sa.
Fa tanto poco per sé,
vive per la società.
Il mondo è buono,
lo sa;
il mondo è buono,
lo fa;
fa tanta pace
per te,
offre la sua
fedeltà.
La gente sa cosa amare,
chiede la sua libertà.
Nel mondo bene si sta;
ama la vita e l'avrai.

Il sole è grande,
lo sa;

People are good

Don't hurt
and smile to love;
watch the sea,
the meadows in bloom.
Give something,
do it with your heart;
your future will be happy.
People are good,
they do this.
People are good,
they know this.
They do little
for themselves,
they live for the community.
The world is good
and knows it;
the world is good,
and does it;
they fight for peace,
also in your behalf;
they offer their loyalty.
People know what love,
they demand their freedom.
We are fine in this world;
if you love life
you will have it.

The sun is big
and knows it;

il sole è grande,	the sun is big,
lo fa;	and does it;
fa tanta luce	it produces
per sé,	so much light
riscalda	for itself,
l'umanità.	and it warms humanity.

La lucciola imprudente

Il ciliegio era gonfio e
non ne poteva più.
Faceva notare al fico
che così incollato addosso
con quel largo fogliame
gli toglieva ogni respiro.
Lo ombreggiava troppo e
come suo diritto
chiedeva al suo vicino
almeno un raggio di sole,
per maturare bene il suo frutto
in tempo di stagione.
E con rabbia gli gridava:
«Tirati da parte, invadente
pelandrone!»
Il fico se la prese a male e
inviperito reagiva così:
«Guarda, scemarello
rimbambito,
io qui ci sono nato e cresciuto
e vengo da lontane generazioni.
Questo luogo è di mia
proprietà.
Se ti trovi in queste condizioni,
è colpa di uno sciocco
contadino
che ti ha trapiantato sulle mie
radici
senza chiedermi il permesso.

The imprudent firefly

The cherry tree was laden,
it could not take anymore.
It pointed out to fig
that it was too stuck to it,
with that broad foliage
which took its breath away.
It overshadowed too
and as its right,
it asked its neighbor
at least a ray of sunshine,
to well ripen its fruit
in time of season.
And angrily shouted at the fig:
«Step aside, intrusive loafer!».
The fig took offense and so
replied furiously:
«You are so dimwit and idiot!
I was born and grew up here
and I have ancient roots.
This place is mine!
You are in this bad situation
due to a foolish farmer
who implanted you on my roots,
without asking permission.
And now, please, go somewhere
else
to seek explanations,
I say this for your own good!».
The apple tree in full bloom,

Ora, se proprio ci tieni al tuo
bene,
non fare più lagnanze su di me.
Sloggia e vai a cercartele altrove
certe belle comprensioni.»
Il melo in piena fioritura,
più distante da quei due,
con il viso roseo e soleggiato
si gustava l'agguerrito diverbio
e se la rideva a crepapelle
con quel dolce venticello,
che ventilava nelle sue orecchie
le impellenti dissidie dei vicini,
ma in cuor suo già pensava:
«Qui la pace è finita»
e trattava il melograno
facendoselo suo alleato.
Si era esteso già nell'aria
un conflitto generale.
Ora anche il fico d'India
nella lontana recinzione
si sentiva emarginato e
avvertiva gli inquieti signori,
scomodi di tanto bene,
di non cercare altre rogne.
Lui, per disgrazia di natura,
già sopportava tante spine,
ma all'improvviso ci fu l'inferno.
A una lucciola imprudente
sfuggì una scintilla.
Così la stoppia sottostante
prese fuoco divampante,
azzittendo in un lampo
quell'inquieto parentado.

more distant from those two,
with its rosy and sunny face
enjoyed the fierce dispute
and it split its sides laughing
with that sweet breeze,
whispering in its ears
the impelling disagreements
of its neighbors,
but in its heart it was already
thinking:
«Peace is over here»
and it spoke with pomegranate,
wanting it as supporter.
They could already perceived
a general conflict
in the air.
Also the prickly pear,
in its distant fence,
felt excluded
and it warned the restless
gentlemen,
unhappy for so much good
that they had,
not looking for trouble.
Due to its misfortune, it already
stood many thorns,
but suddenly there was a
disaster.
An imprudent firefly
let a spark out.
So that the stubble below
caught fire, a blazing fire,
silencing in a flash
those restless relations.

La mano che cerca la tua

La luce che arriva negli occhi
proviene dal sole;
la pace che regna nel cuore
è un prodigio d'amore.
La vita che Dio ti ha dato
proviene da un fiore.
Quel fiore che dona profumo
si chiama amore.
Quell'alba ancora stellata
risplende in cielo;
quel cielo che tutto disperde
si dice infinito.
La stella che cade in terra
è una scia di fuoco.
Quel fuoco che brucia nel
cuore
è una fiamma d'amore.
La vela che vive di vento
affonda nel mare
Il mare che dondola e dorme
si dice distratto;
la mano che cerca la tua
è sola nel mondo.
Non vedi che segue la strada
che guida i suoi passi?
Non vedi che ti sono vicino
per darti la mano?
Il fiume disperde le acque,

The hand which looks for yours

The light which comes into the
eyes it comes from the sun;
the peace with reigns in the heart
is a miracle of love.
The life that God has given
you comes from a flower.
That flower that smells
is called love.
That dawn,
still starry, shines in the sky;
that sky that scatters everything
is infinite.
The star that falls to the ground
is a trail of fire.
That fire that burns in the heart
is a flame of love.
The sail which lives on wind
sinks into the sea.
The sea that rocks and sleeps
is distracted;
the hand which looks for yours
is unique in the world.
Don't you see that it follows
the way that guides its steps?
Don't you see that I'm with you
to take your hand?
The river disperses the water
but it flows into the sea;

ma sfocia nel mare;
la notte che insegue il mattino
raggiunge il giorno.
La mano che cerca la tua
è un sogno proibito?

the night that chases the morning
reaches the day.
Is the hand which
looks for yours
a forbidden dream?

L'idea fissa

Per mare o per terra
fermiamoci un giorno;
per mare o per terra
facciamo l'amore.
Se vuoi per mare,
preparo la vela;
se vuoi per terra,
fuggiamo in pineta.
Mi scoppia la testa,
mi sento mancare,
ho voglia d'amore,
ho voglia di te.
Entriamo nell'acqua
baciati dal sole,
alziamo un castello
di sabbia e d'amore.
A me basta
quello che tu sai:
denudarti tutta
agli occhi miei.
Io poi vorrei
stringerti a me.
Per me il tempo
si è fermato qui.
La mia mente
non ragiona più;
solo il tuo amore
può dar tutto
al cuore mio.

Fixed idea

By sea or by land,
let's take a day;
by sea or by land
let's make love.
If you prefer by sea
I prepare the sail;
if you prefer by land
let's run away into the
pine grove.
I have headache,
I feel faint,
I want love,
I want you.
Let's go for a swim,
kissed by the sun,
let's build a sand castle,
a castle of love.
I just want
what you already know:
I want you naked.
And then I would like
to hold you to me.
The time has stopped here
for me.
My mind does not think
more; only your love can give
everything to my heart.
By day and by night
I tie to your body;

Di giorno e di notte
mi lego al tuo corpo;
i giorni e le notti
sono dolci momenti.
Il mare di sempre
mi appare più grande;
i monti più alti
io voglio scalare.
Per l'ultima volta
ti tento, tu vieni.
Mi doni il piacere,
sei unica al mondo.
Son gocce di pianto,
sospiri e carezze;
in fondo al tuo cuore
un caldo amore.

days and nights
are sweet moments.
The usual see now seems to me
greater;
I want to climb the
highest mountains.
I touch you for the last
time
and you come.
You give me pleasure,
you are unique in the
world.
Drops of tears,
sighs and caresses;
in the bottom of heart
you have a warm love.

L'inarrivabile

L'inarrivabile
nelle tue mani.
Una luna piena
nella notte buia,
in penombra
e silenziosa,
lontana dai
fragori del giorno,
si specchia nei laghi
e trucca il suo viso.
È seguita
e imbarazzata.
Troppi occhi
alla sua corte.
È bella,
ma si lascia
ammirare
solo nella notte,
condivisa dalle stelle,
amiche di sempre.
Un velo
la imbianca.
Al sole nascente
si sente regina
e si dona
al suo re.
L'inarrivabile,
l'eterna emozione:
inseguire sempre l'infinito cielo,

Unreachable

The unreachable
in your hands.
A full moon
in the dark night,
dim and silent,
far from the roars
of the day,
she is reflected in the
lakes
and she makes up her
face.
She is followed and
embarrassed.
Too many eyes
look at her.
She's beautiful,
but she can be admired
only at night,
shared by the stars,
her eternal friends.
She is covered by a
white veil.
When the sun rises
she feels like a queen
and she gives herself
to her king.
The unreachable,
eternal emotion:
always chasing the

volteggiare
e infrangersi
nella fuga
incontenibile
dell'aria sospinta
dal vento tiepido.
È un soffio
gradevole,
ti imprigiona,
ti avvolge.
È amore
contemplato e
profumato
da un fiore di donna,
sbocciato in seno tuo
per magia di un cuore.
C'è fuoco
negli occhi.
S'accende una luce
risplende il giorno.
È un grido,
un vagito
d'amore
per te.

endless sky,
twirling
and crashing into
uncontrollable escape
of the air
blown by the warm wind.
It is a pleasant breath,
it traps you,
it wraps you up.
It is a contemplated
and perfumed love
from a flower of
woman,
blossomed in your
womb
by a magic heart.
There is fire in the
eyes.
A light goes on
and shines the day.
It is a cry,
a cry
of love
for you.

Occhiali da sole

Ma
togliti gli occhiali
scuri, da sole!
Ma
mettiti gli occhiali
chiari, da vista.
Ma
tu mi puoi vedere
a occhi
spogli.
Ma
tu conosci il mondo,
muto e crudo.
Ti
credi una velina,
seno e forme,
un viso imbrattato,
trucchi e creme.
Tu
parli al cellulare
spento e muto;
ti
fingi una signora
triste e sola;
ma togliti gli occhiali da sole!
Ti fanno troppa ombra,
così non puoi vedere
il mio soffrire.
Ma mettiti gli occhiali da vista!

Sunglasses

Take off
your sunglasses,
they are dark!
Put
on eyeglasses,
they are clear.
You can see
me with your
naked eyes.
You know
the world,
mute and cruel.
You feel l
ike a showgirl,
breast and curves,
your face
is a mask,
make up and creams.
You talk
to the mobile
phone,
silent and switched off;
you pretend to be
a sad and lonely lady;
take off your sunglasses!
They make
too much shade,
so you cannot see my pain.
Put on eyeglasses!

C'è un prato che disseta,
c'è un fiore che appassisce
nel tuo giardino.
Ti
basta una rugiada
di acqua fresca,
Il tiepido calore
di primo giorno,
quel vivere l'amore in seno
tuo,
quel poco di illusione in
cuore mio.
Ma
specchiati nel mare,
nell'azzurro cielo.
Ma tuffati nell'acqua,
schiuma e sale.
Ma
torna sulla sabbia,
al caldo vento.
Ma
apri le tue braccia
al corpo mio.

There's a lawn that quenches,
there's a flower that wilts
in your garden.
You just
need a
dew of fresh
water,
the warm heat
of the morning,
living love
in you,
that little illusion
in my heart.
Mirror in the,
in the blue sky.
Dive into
 water,
foam and salt.
Come back
on the sand,
to the warm wind.
Open your arms
to me.

Ogni giorno

Due farfalle su un fiore
non si rubano niente,
vanno in cerca dell'amore
che quel fiore gli dà.
Due angeli in cielo
con un canto di gioia
vanno in cerca di un Dio
che quel cielo gli dà.
Ogni giorno in silenzio
ti guardo.
Ogni giorno in silenzio
mi chiedo:
«Questo amore che vive
nel cuore
è il segreto più grande
che ho in me?»
Ogni giorno ti seguo, ti adoro.
Ogni cosa che faccio è per te.
Questo mondo è dipinto, è più
bello;
il mio cuore ti sogna, ama te!
Se non c'è primavera
e non sboccia un fiore,
per me non sarà niente:
tutto è accanto a te!
Se questo cielo azzurro
cambia il suo colore,
la terra resta uguale
con monti, mari e te!

Everyday

Two butterflies on a flower
do not steal anything,
they look for love
and the flower gives them.
Two angels in heaven
singing with joy
look for a God
and the sky gives them.
Everyday I look at you
in silence.
Everyday I wonder
in silence:
«Is this love which lives
in my heart
my greatest secret?»
Everyday I follow you, I love you.
Everything I do is for you.
This world is painted,
more beautiful;
my heart dreams of you,
it loves you!
If there is no spring
and flowers not bloom,
there will be nothing for me:
everything is next to you!
If this blue sky
changes its color,
the land will be the same,
with mountains, sea and you!

Fuochi d'artificio

Il lago sospira,
la valle è in festa,
le acque dei torrenti
affluiscono in fretta.
Ora il corpo stagnante
è un limpido specchio.
Riemergono in vita
le specie morenti.
I canti corali
fanno eco di gioia
e le nubi velate
si dissolvono in esse.
La luna è lontana,
si aggira nel cielo,
offre il suo splendore
e si specchia nel lago.
La notte piovasca
si accende di stelle
e un tiepido vento
velleggia sui visi.
È un soffio candido
di spezie nostrane,
profumi di donne
suadenti d'amore.
I mortai nell'alto,
a ridosso del monte,
si son presi per mano
per sentisi uniti.
L'orchestra fa fine
con l'ultimo suono.

Fireworks

The lake sights,
the valley is joyous,
the waters of the streams
flow fast.
The stagnant body is now
a clear mirror.
Dying species
back to life.
The choral songs
are echoes of joy,
and the dim clouds
dissolve in themselves.
The moon is far away,
she roams in the sky;
she offers her beauty
and mirrors in the lake.
The rainy night
lights of stars
and a warm wind
blows on the faces.
It is a pure breath
of homegrown spices,
scent of women and love.
Aloft the mortars,
sheltered by the mountain,
are hand in hand
to feel united.
The orchestra ends with
the last sound.

La miccia è partita,
si accendono i fuochi.
Fuochi d'artificio
nel mese mariano.
Si festeggia Maria,
la Madre Divina.
È un rito d'amore,
di fede cristiana
ripetuta dai tempi
del bambino Gesù.
Figure di rose
e di candidi gigli
nell'ombra notturna
splendori di fiamme.
C'è un richiamo d'aiuto:
una voce tremante
si dispera nel dire:
«Ho perso la bimba?»
Un dramma nei cuori.
Si vuole sapere
chi la mamma sia
che impreca Maria?
Un'umile donna
a mani unite
si aggira perduta
tra le acacie fiorite.
Fuochi d'artificio.
Ha il corpo disteso.
Il chiarore la scorge
nell'ingrato destino.
La folla impazzisce,
si aggira furente;
va in cerca del bruto
dell'infame assassino.

The fuse is lit,
fireworks light up.
Fireworks during
the month
of Virgin Mary,
Divine Mother.
It is a rite of love,
of Christian fate,
since the time of Jesus.
Figures of roses
and white lilies
in the night shadows
splendors of flame.
There is a call for help:
a trembling voice
despairs
and says:
«I lost my baby!»
A tragedy in the hearts.
People want to know who is
the mother who swears Maria?
A humble woman
with folded hands
wonders lost in the flowering
acacias.
Fireworks.
Her body is lying.
The gleam sees her
in her destiny.
The crowd goes crazy,
wanders furious;
it looks for the beast
the infamous murder.

Le mie parole udite

Le mie parole udite
non hanno detto niente?
Le credevo belle e sapienti
perché venute dal cielo.
Le parole che valgono
non emettono suono,
fanno eco nel cuore
in un muto silenzio.
I pensieri più veri
non si lasciano andare:
sono lampi di luce
di un sole nascente.
I pensieri più vivi
sono frutti proibiti,
vanno colti maturi
nel sapore più dolce.
È difficile amare
senza credere in Dio
se vuoi esserne degno,
non ti resta che amarlo.
È difficile amare
se ti credi già vinto.
Devi farti coraggio
invertire il destino.
Le mie parole udite
sono petali e fiori
ondulati dal vento
in un verde sentiero.
Le mie parole più belle

My heard words

My heard word
did not say anything?
I thought them beautiful
and wise
because they come from
the sky.
Important words
do not emit a sound,
they echo in the heart
in mute silence.
The truest thoughts
do not let go:
they are flashes of light
of a rising sun.
The deepest thoughts
are forbidden fruits,
they must be picked ripe
in their sweeter taste.
Loving is difficult
without believing in God,
if you want to be worthy
you just have to love him.
Loving is difficult
if you think you are
already lost.
You have
o get courage
and reverse the fate.
My heard words

sono anima pura
attrazione e miraggio
inni d'amore per te.
I poemi incompiuti
sono incisi nel cuore:
una voce in sordina
li declama in amore.
Una gioia
mi invade
al pensiero
di averti.
È la sola ragione
che io viva
i miei giorni.

are petals and flowers
carried by the wind in a green
path.
My most beautiful words
are pure soul attraction and
mirage,
love poems for you.
The unfinished poems
are engraved in the heart:
a voice softly recites them in love.
The very thought of having
you fills me with joy.
With this only reasonI live my
days.

INDICE:

La favola più bella della nostra vita..............................7

Il frutto del peccato..............................9

Un'età..............................11

Sei!..............................13

Ogni notte..............................15

Profumo d'amore..............................16

Padre Pio..............................17

Dolce bambina..............................20

Un'ultima emozione..............................22

Una piccola ragazza..............................24

Tuorno a Napule stasera..............................26

Treno..............................28

Suona l'Ave Maria..............................30

Silenzio... Silenzio.................................32

Rido e piango per amore 34

Ma come è possibile?..............................36

Rita..............................38

Stelle del cielo..............................40

Notti d'insonnia..............................42

Amore..............................44

L'amore e la vita..............................46

Alina..............................47

Caldo natale, freddo Natale..............................49

Abbronzati al sole..............................51

Il pellerossa..............................53

Il permesso del soldato..55

La gente è buona..57

La lucciola imprudente...59

La mano che cerca la tua...61

L'idea fissa...63

L'inarrivabile..65

Occhiali da sole...67

Ogni giorno..69

Fuochi d'artificio...70

Le mie parole udite...72

INDEX:

The most beautiful tale of our life.............7
The fruit of sin.............9
An age.............11
You are.............13
Every night.............15
Scent of love.............16
Padre Pio.............17
Sweet girl.............20
One last emotion.............22
A little girl.............24
I go back to napule tonight.............26
Train.............28
Ave Maria.............30
Quiet... Quiet... 32
I laugh and cry for love.............34
How is it possible?.............36
Rita.............38
Stars of the sky.............40
Sleepless nights.............42
Love.............44
Love and life.............46
Alina.............47
Warm christmas, cold Christmas.............49
Tun in the sun.............51
The redskin.............53

The furlough of the soldier..55
People are good..57
The imprudent firefly..59
The hand which looks for yours...61
Fixed idea 63
Unreachable..65
Sunglasses... 67
Everyday...69
Fireworks..70
My heard words...72